OWN

Para Étienne, Émile, Léonie.
V. A.

A Joséphine y Jean.
E. T.

En la misma serie:

Inventario ilustrado de animales

Inventario ilustrado de animales con cola

Inventario ilustrado de aves

Inventario ilustrado de dinosaurios

Inventario ilustrado de flores

Inventario ilustrado de insectos

Inventario ilustrado de los árboles

Concepto gráfico y realización: cedricramadier.com

Nuestro agradecimiento por la relectura científica al servicio pedagógico del «Aquarium La Rochelle» (www.aquarium-larochelle.com)

Título original: *Inventaire illustré de la mer*

© de la edición original: Albin Michel Jeunesse, 2012
© de la traducción: Pedro A. Almeida, 2013
© de esta edición: Kalandraka Editora, 2018
Rúa Pastor Díaz, n.º 1, 4.º B - 36001 Pontevedra
Tel.: 986 860 276
editora@kalandraka.com
www.kalandraka.com

Faktoría K de libros es un sello editorial de Kalandraka

Impreso en Gráficas Anduriña, Poio
Primera edición: octubre, 2013
Tercera edición: octubre, 2018
ISBN: 978-84-15250-47-0
DL: PO 398-2013

Virginie
Aladjidi

¡INVENTARIO ilustrado
de los MARES

Emmanuelle
Tchoukriel

FAKTORÍA K DE LIBROS

PRÓLOGO

En este gran inventario ilustrado, podréis admirar cien animales y plantas del mundo marino.

Emmanuelle Tchoukriel, ilustradora formada en el dibujo científico, los ha representado con la precisión y el arte de los exploradores naturalistas de los últimos siglos. Como buceadora aficionada, ha podido observar algunos de estos animales o plantas en el Mediterráneo.

El trazo negro de sus imágenes ha sido realizado con rotring y tinta china, y sus acuarelas le han permitido jugar con los tonos y las transparencias.

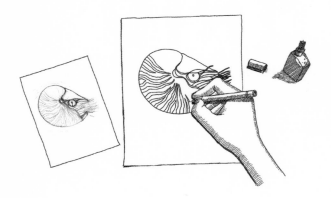

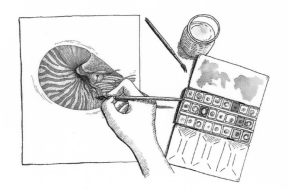

Pero este inventario está muy lejos de ser exhaustivo. Son solo cien de las doscientas cincuenta mil especies de la biodiversidad marina catalogadas hasta octubre de 2010 en el marco del gran estudio «Censo de la vida marina»*.

Aviso a los futuros científicos: Los investigadores afirman que hay aún setecientas cincuenta mil especies desconocidas sin catalogar en este ecosistema, que ocupa el setenta por ciento de la superficie del globo. Pero esta diversidad de especies marinas está amenazada por la pesca excesiva, la contaminación y la pérdida de hábitats. El cambio climático y la acidificación de los océanos juegan también en su contra.

Por otro lado, la biodiversidad está conociendo un deterioro terrible y rápido. Más de un tercio de las especies oceánicas están amenazadas. Entre ellas, el gran cachalote, la ballena azul, el dugongo, la tortuga verde, el atún rojo, el coral, el pez sierra, el tiburón martillo...

Los crustáceos (cangrejos, gambas, krill) representan el veinte por ciento de las especies marinas.

Los moluscos (pulpos, mejillones) suponen el diecisiete por ciento.

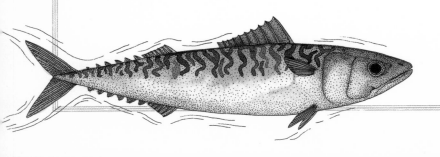

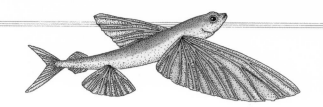

Los peces, el doce por ciento. Los microorganismos unicelulares, el diez por ciento, y otro diez por ciento, las algas.

En el treinta y uno por ciento de las especies restantes se incluyen, por orden de importancia: los gusanos marinos, los cnidarios (corales, medusas) y, finalmente, los mamíferos.

Estos últimos están escasamente representados en el medio marino, pero nos fascinan: la ballena y el delfín respiran con pulmones y amamantan a sus crías como los humanos y, sin embargo, viven en un medio acuático, muy diferente de nuestra tierra firme. Sorprendentemente, en el medio marino la vida se ha instalado por todas partes, tanto en aguas heladas, como en dorsales oceánicas, o en zonas poco oxigenadas.

Os deseamos una fascinante inmersión en el mundo del silencio.

Virginie Aladjidi

* El programa internacional CoML (Census of Marine Life / «Censo de la vida marina»), destinado a conocer los recursos vivos del mar, fue iniciado en octubre de 2003. Puedes visitar su sitio oficial en Internet (en inglés): www.coml.org.

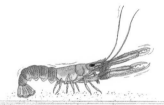

SUMARIO

Narval
o ballena unicornio

Monodon monoceros

Clase: MAMÍFERO

Estos ágiles y rápidos mamíferos carnívoros
tienen un colmillo largo y retorcido cuya función
no se conoce realmente, pero se supone
que pudiera ser un órgano sensorial.
El narval no tiene aleta dorsal, lo que le permite
nadar bajo los hielos del océano Ártico, muy cerca
del Polo Norte. Puede medir hasta cinco metros,
sin incluir el colmillo.

— lámina 1 —

Morsa

Odobenus rosmarus

Clase: MAMÍFERO

Este carnívoro bigotudo vive en los bancos
de hielo de las regiones árticas,
en colonias de hasta mil individuos.
En tierra lleva las extremidades posteriores
orientadas en un sentido,
y cuando nada, las orienta en sentido contrario.
Los colmillos le sirven como arma
y para picar el hielo.

— lámina 3 —

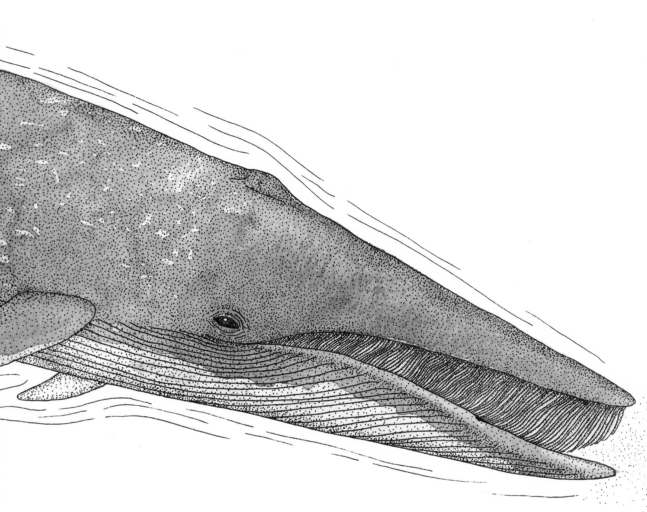

Ballena azul
o rorcual azul

Balaenoptera musculus

Clase: MAMÍFERO

La mayor de las ballenas con barbas puede llegar
a tener treinta y tres metros de largo.
Se la reconoce por su garganta estriada,
que tiene entre cincuenta y noventa pliegues.
Suele desplazarse por aguas profundas
con el espiráculo (orificio nasal) cerrado,
y sube a la superficie para respirar,
como todos los mamíferos, expulsando
un chorro de agua de entre seis y nueve metros de altura.

Otario o lobo marino de África del Sur

Arctocephalus pusillus

Clase: MAMÍFERO

Excelente nadador del Pacífico y de los mares del Sur,
el otario se alimenta en el mar y sube a las rocas
ayudándose con las aletas posteriores.
Allí descansa, se reproduce e incluso atrapa algunas aves.
Se distingue de la foca por su largo cuello
y sus pequeñas orejas externas.

Dugongo
o vaca marina

Dugong dugon

Clase: MAMÍFERO

El dugongo ingiere hasta cuarenta kilos diarios
de vegetación en los fondos poco profundos
del litoral del océano Índico y del Pacífico.
Su cola es triangular, muy diferente
de la redondeada de su pariente el manatí.
Mide entre tres y cuatro metros de longitud.

Orca

Orcinus orca

Clase : MAMÍFERO

La orca es un cetáceo blanco y negro
con una gran aleta dorsal.
Esta gran cazadora merodea cerca de las playas
para atacar a los pingüinos y los otarios.
En el mar, un grupo de orcas puede llegar
a hacerse con un ballenato, al que separan
de su madre y ahogan impidiéndole
subir a la superficie para respirar.

Delfín girador
de hocico largo

Stenella longirostris

Clase: MAMÍFERO

Este delfín vive en grupos de entre veinte
y cien individuos que saltan y hacen piruetas
en el corazón de las aguas tropicales.
Puede incomodarse si los barcos
se acercan demasiado para observarlo.
Se alimenta de peces pequeños y de calamares.

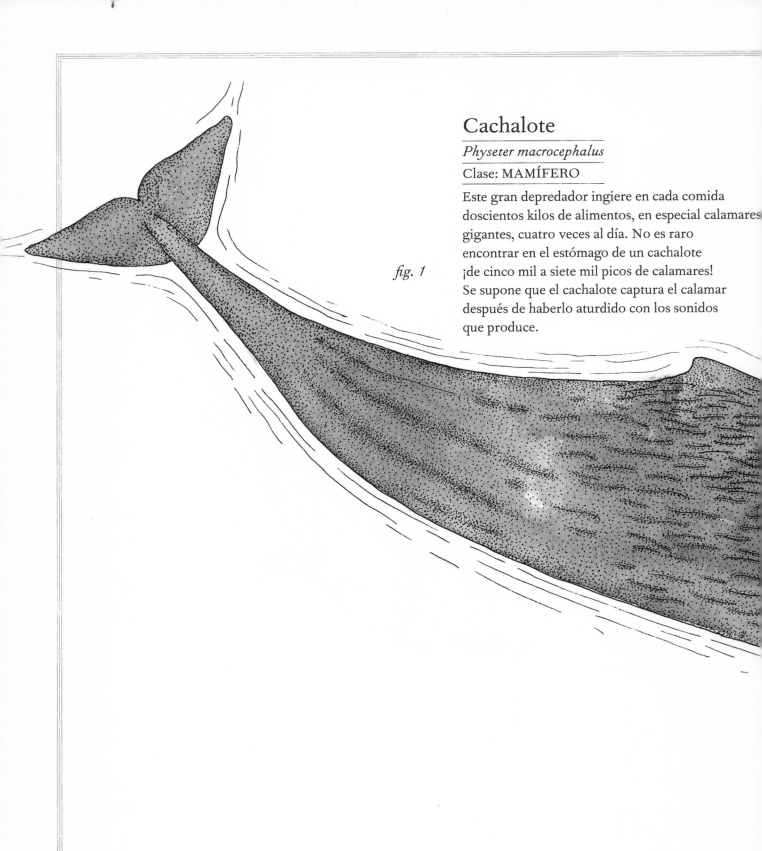

Cachalote

Physeter macrocephalus

Clase: MAMÍFERO

Este gran depredador ingiere en cada comida
doscientos kilos de alimentos, en especial calamares
gigantes, cuatro veces al día. No es raro
encontrar en el estómago de un cachalote
¡de cinco mil a siete mil picos de calamares!
Se supone que el cachalote captura el calamar
después de haberlo aturdido con los sonidos
que produce.

fig. 1

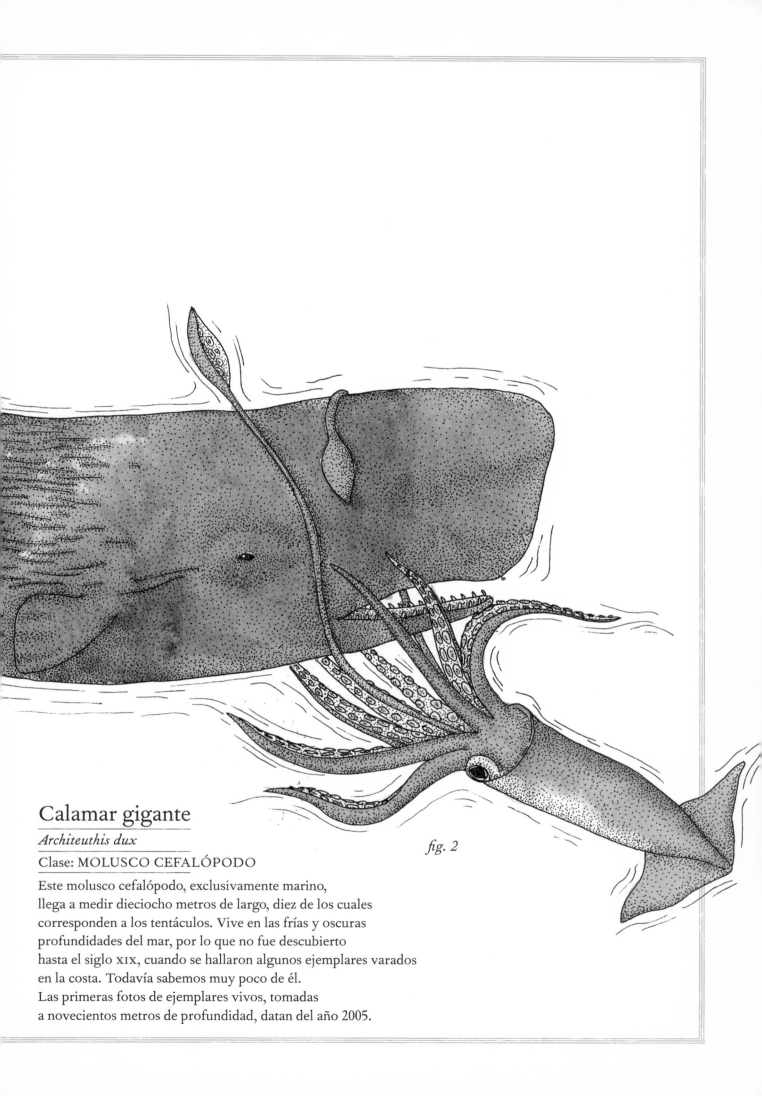

Calamar gigante

Architeuthis dux

Clase: MOLUSCO CEFALÓPODO

fig. 2

Este molusco cefalópodo, exclusivamente marino,
llega a medir dieciocho metros de largo, diez de los cuales
corresponden a los tentáculos. Vive en las frías y oscuras
profundidades del mar, por lo que no fue descubierto
hasta el siglo XIX, cuando se hallaron algunos ejemplares varados
en la costa. Todavía sabemos muy poco de él.
Las primeras fotos de ejemplares vivos, tomadas
a novecientos metros de profundidad, datan del año 2005.

Pulpo

Octopus vulgaris

Clase: MOLUSCO CEFALÓPODO

Tiene ocho tentáculos, cubiertos por más de doscientas
ventosas cada uno. Con su par de mandíbulas córneas
en forma de pico, escondidas dentro de la boca, el pulpo
tritura moluscos y crustáceos. Se desplaza expulsando agua
por un sifón y proyecta una nube de tinta para camuflarse.
El pulpo da muestras de una rara inteligencia
para ser un invertebrado. ¡Es capaz de memorizar
y de aprender!

Sepia

Sepia officinalis

Clase: MOLUSCO CEFALÓPODO

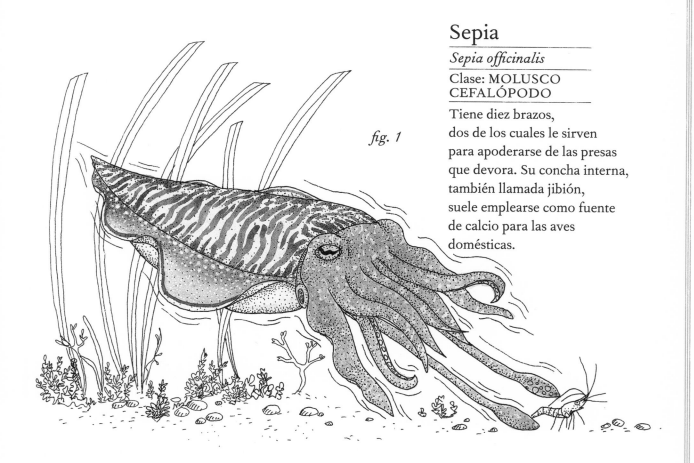

fig. 1

Tiene diez brazos, dos de los cuales le sirven para apoderarse de las presas que devora. Su concha interna, también llamada jibión, suele emplearse como fuente de calcio para las aves domésticas.

Nautilo

Nautilus pompilius

Clase: MOLUSCO CEFALÓPODO

Este tipo de molusco de veinte centímetros existía ya hace ¡cuatrocientos millones de años! Es muy difícil de ver: solo se le encuentra cerca de las islas del Pacífico y en las costas de Australia.
Su concha tiene cámaras internas cerradas; el animal vive en la primera cámara. Posee entre ochenta y noventa tentáculos sin ventosas.

fig. 2

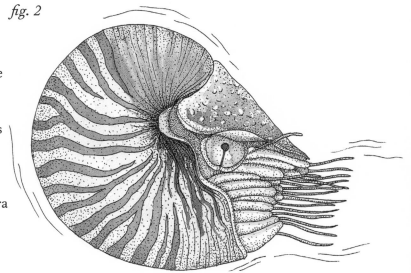

Estos moluscos tienen concha y un pie
aplanado que les sirve para desplazarse:
son los gasterópodos.

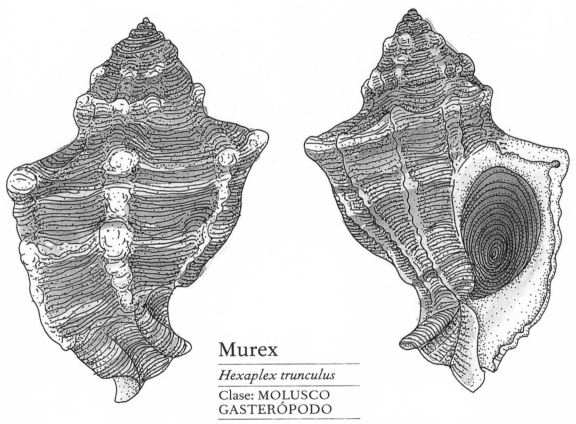

Murex

Hexaplex trunculus

Clase: MOLUSCO
GASTERÓPODO

Este gasterópodo de concha gruesa
tiene una glándula que produce
un colorante rojo violáceo, la púrpura,
que en la antigüedad servía
para teñir los tejidos más lujosos.

Porcelanas

Las porcelanas son gasterópodos
de concha gruesa, sin opérculo
y de variados diseños.

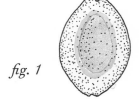

fig. 1

Porcelana
anillo de oro
Monetaria annulus

fig. 2

Porcelana grano de café
de tres puntos
Trivia monacha

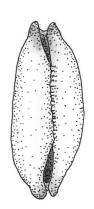

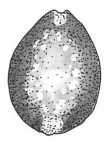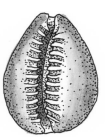

fig. 3

Porcelana Isabel
Cypraea isabella

fig. 4

Porcelana cabeza de serpiente
Cypraea caputserpentis

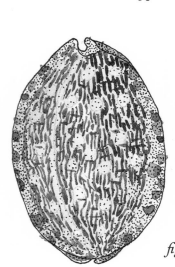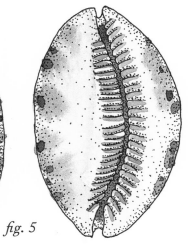

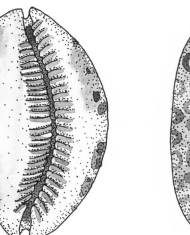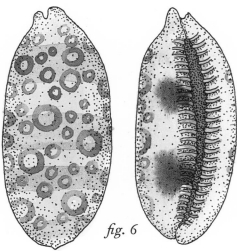

fig. 5

Porcelana árabe
Cypraea arabica

fig. 6

Porcelana argus
Cypraea argus

— lámina 12 —

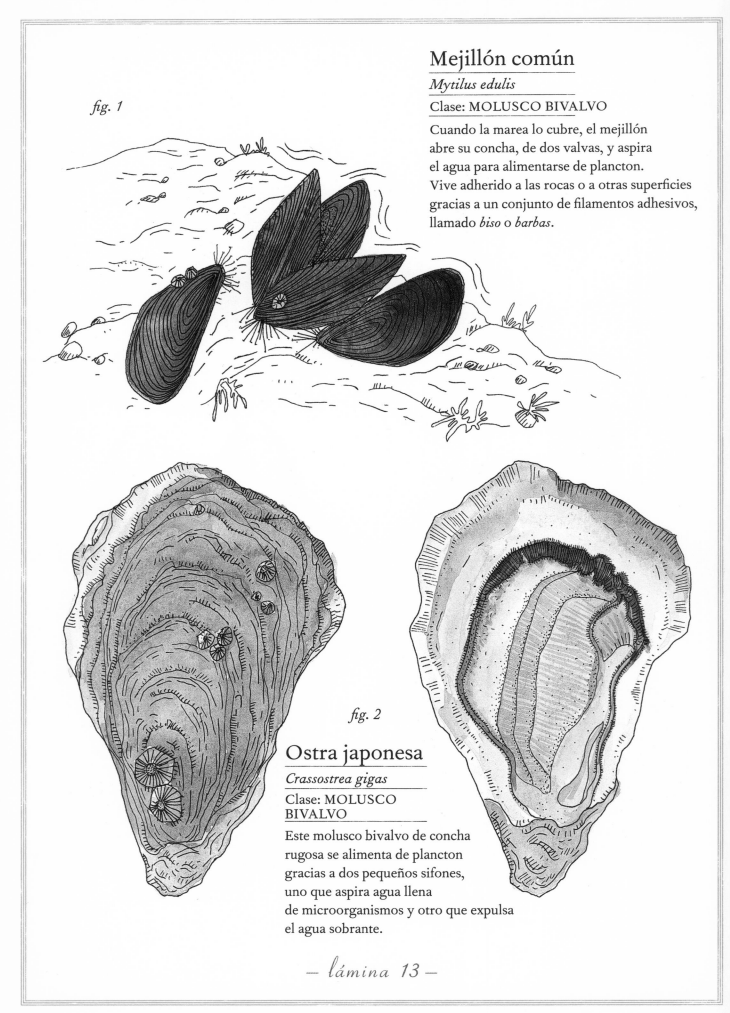

Mejillón común

Mytilus edulis

Clase: MOLUSCO BIVALVO

Cuando la marea lo cubre, el mejillón
abre su concha, de dos valvas, y aspira
el agua para alimentarse de plancton.
Vive adherido a las rocas o a otras superficies
gracias a un conjunto de filamentos adhesivos,
llamado *biso* o *barbas*.

fig. 1

fig. 2

Ostra japonesa

Crassostrea gigas

Clase: MOLUSCO
BIVALVO

Este molusco bivalvo de concha
rugosa se alimenta de plancton
gracias a dos pequeños sifones,
uno que aspira agua llena
de microorganismos y otro que expulsa
el agua sobrante.

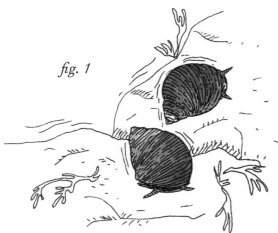

fig. 1

Bígaros

Littorina littorea

Clase: MOLUSCO
GASTERÓPODO

En la marea baja,
estos moluscos gasterópodos
cierran su concha con un opérculo.

Caracola

Buccinum undatum

Clase: MOLUSCO
GASTERÓPODO

Es un gran molusco
gasterópodo de las costas
del Atlántico.

fig. 2

fig. 3

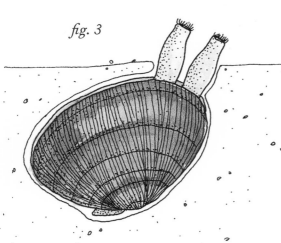

Almeja europea

Tapes decussata

Clase: MOLUSCO BIVALVO

Este molusco bivalvo, de estrías finas,
vive hundido en la arena.
La almeja tiene dos sifones:
uno que aspira el agua y el plancton
y otro que expulsa el agua filtrada.

fig. 4

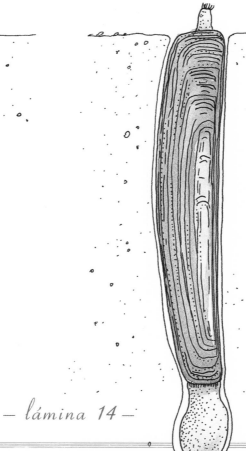

Navaja

Ensis siliqua

Clase: MOLUSCO
BIVALVO

La navaja vive
en la arena.
Su pie le permite hundirse
hasta un metro
de profundidad.

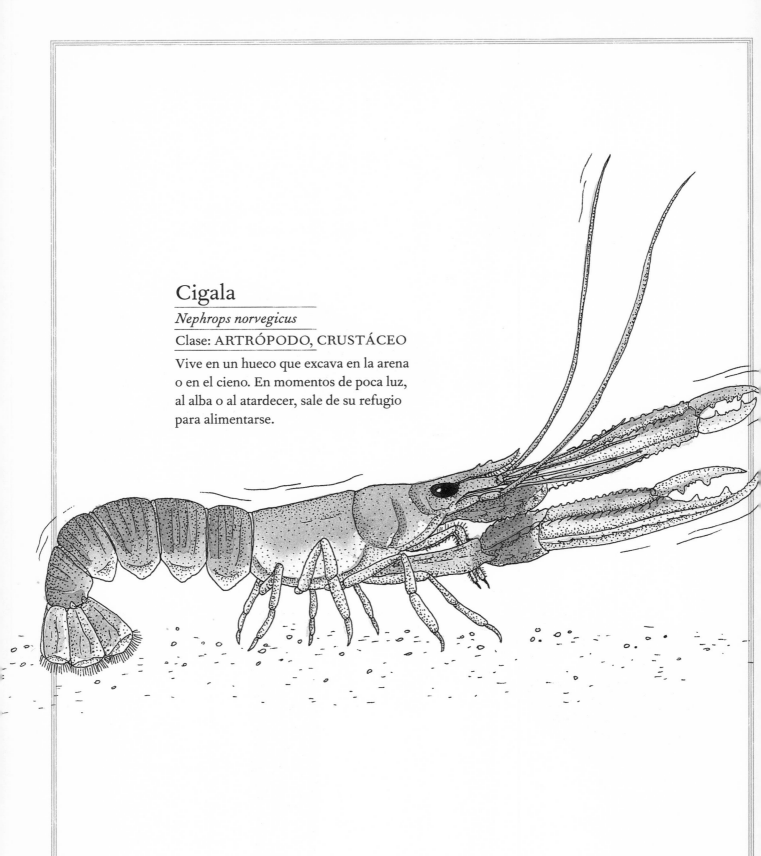

Cigala

Nephrops norvegicus

Clase: ARTRÓPODO, CRUSTÁCEO

Vive en un hueco que excava en la arena
o en el cieno. En momentos de poca luz,
al alba o al atardecer, sale de su refugio
para alimentarse.

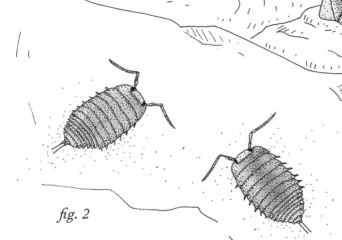

Bellotas de mar

Balanus crenatus

Clase: ARTRÓPODO, CRUSTÁCEO

Estos crustáceos se adhieren a las rocas,
y también a otros animales, como tortugas
o ballenas. Para alimentarse,
abren sus placas calcáreas y utilizan
sus patas para capturar el plancton.

fig. 1

fig. 2

Cochinilla de mar

Ligia oceanica

Clase: ARTRÓPODO, CRUSTÁCEO

Podemos encontrar estos animales
en las costas rocosas, nunca muy lejos
del agua. Son crustáceos halófilos:
capaces de tolerar los terrenos
con alto contenido de sal.

Los crustáceos del zooplancton

El zooplancton está constituido por una inmensa variedad
de pequeños crustáceos, de larvas de animales
y también de alevines (crías de peces).
El zooplancton se alimenta del fitoplancton, es decir,
de algas microscópicas. El tiburón ballena
y los grandes cetáceos, como las ballenas,
se alimentan exclusivamente de zooplancton
como el krill, pequeño camarón de aguas frías.

fig. 1

Larvas de cangrejo

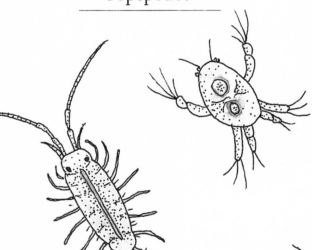

fig. 2

Copépodos

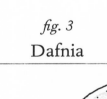

fig. 3

Dafnia

fig. 4

Camarón opossum

Langostino
dinochelus

Dinochelus ausubeli

Clase: ARTRÓPODO, CRUSTÁCEO

Nadie conocía esta especie de cigala
hasta que, en octubre de 2010,
fue presentada a la comunidad científica
por los investigadores que la descubrieron
en los mares de Filipinas.
Tiene patas torácicas asimétricas,
una de las cuales es larga
y espinosa.

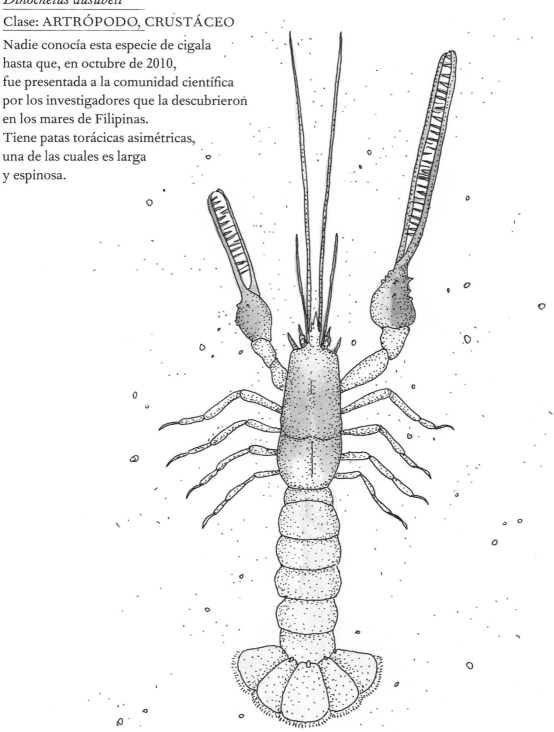

Existen tres mil quinientas especies
de cangrejos en todo el mundo.
Todos tienen diez patas,
dos de las cuales terminan en pinzas.
Para saber si un cangrejo es macho
o hembra, hay que mirar su abdomen:
si tiene tres segmentos, es macho;
si tiene más, es hembra.

Ocypode,
comúnmente llamado cangrejo fantasma
Ocypode quadrata
Clase: ARTRÓPODO, CRUSTÁCEO, DECÁPODO

Debe su nombre de cangrejo fantasma a su rapidez,
que le permite desaparecer en un abrir y cerrar
de ojos. Tiene una pinza mayor que la otra.

fig. 1

Cangrejo verde
Carcinus maenas
Clase: ARTRÓPODO,
CRUSTÁCEO, DECÁPODO

A pesar de su nombre, a veces
tiene el vientre de color
rojo intenso.

fig. 2

Cangrejo terciopelo
Portunus pelagicus
Clase: ARTRÓPODO,
CRUSTÁCEO, DECÁPODO

Tiene el caparazón
cubierto de un pelo suave
y las patas posteriores
en forma de paletas,
lo que le permite nadar.

fig. 3

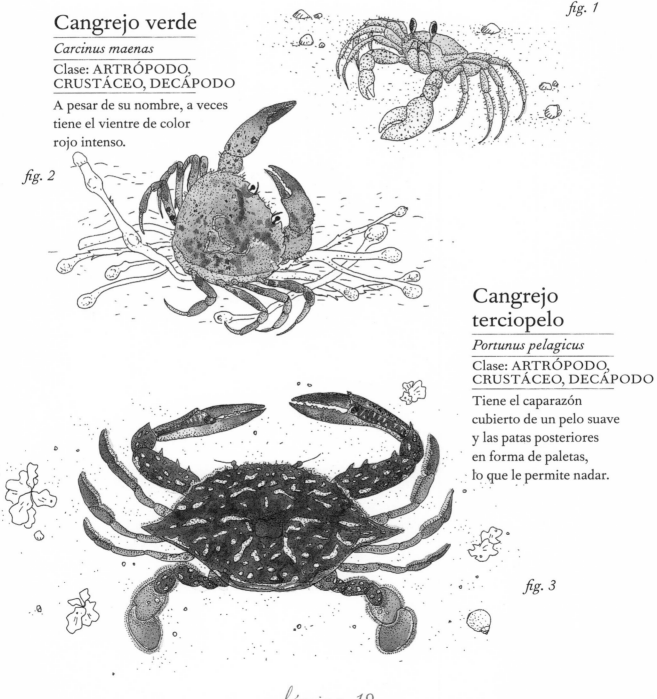

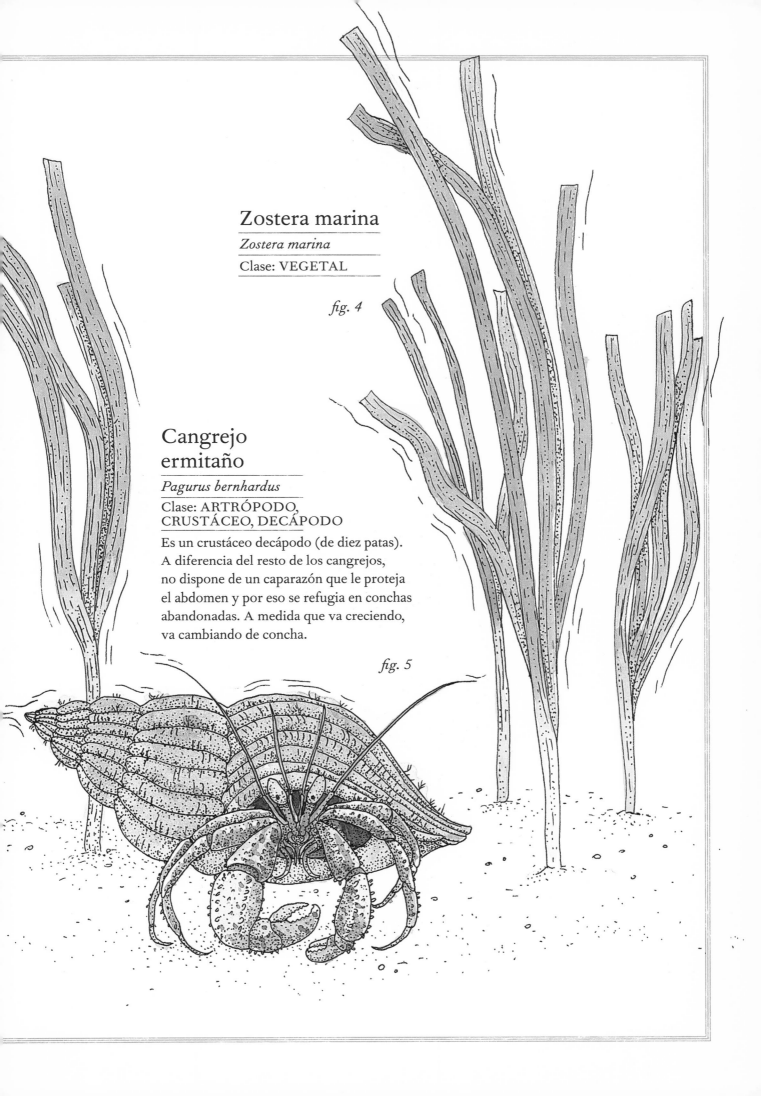

Zostera marina

Zostera marina

Clase: VEGETAL

fig. 4

Cangrejo ermitaño

Pagurus bernhardus

Clase: ARTRÓPODO, CRUSTÁCEO, DECÁPODO

Es un crustáceo decápodo (de diez patas).
A diferencia del resto de los cangrejos,
no dispone de un caparazón que le proteja
el abdomen y por eso se refugia en conchas
abandonadas. A medida que va creciendo,
va cambiando de concha.

fig. 5

Esponjas y ascidias

Las esponjas se alimentan filtrando
el agua de mar. No son plantas,
a pesar de su apariencia,
sino animales de cuerpo poroso
que se fijan sobre las rocas.

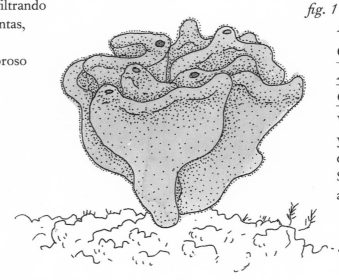

fig. 1

Axinella de cuernos de gamo

Axinella damicornis

Clase: ESPONGIARIO

Vive en las aguas tranquilas
y poco profundas
del Mediterráneo.
Su superficie es de aspecto
aterciopelado.

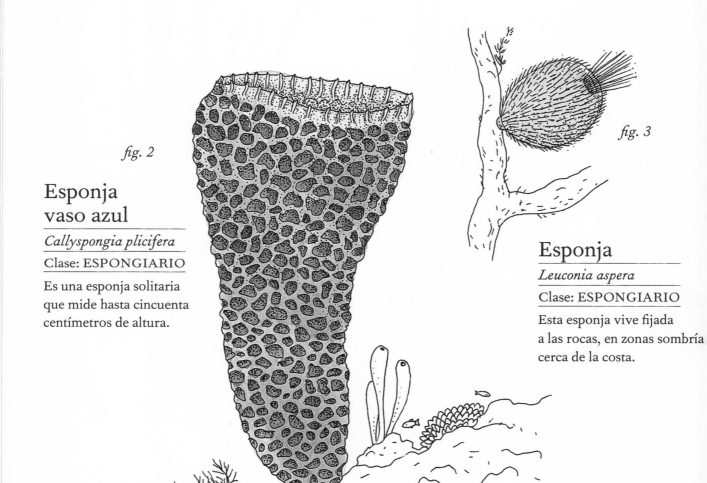

fig. 2

Esponja vaso azul

Callyspongia plicifera

Clase: ESPONGIARIO

Es una esponja solitaria
que mide hasta cincuenta
centímetros de altura.

fig. 3

Esponja

Leuconia aspera

Clase: ESPONGIARIO

Esta esponja vive fijada
a las rocas, en zonas sombría
cerca de la costa.

Pan de gaviota

Halichondria panicea

Clase: ESPONGIARIO

Se extiende sobre las rocas
formando pequeños conos
de entre uno y tres centímetros.

fig. 4

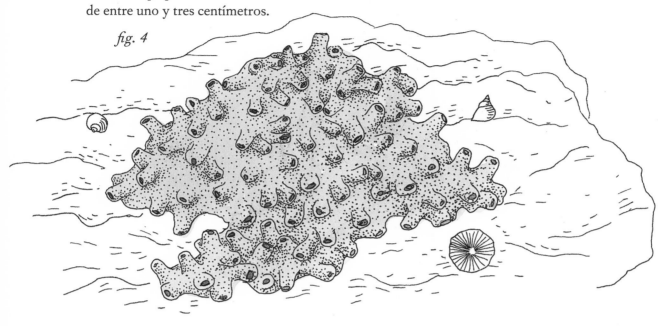

Ascidia estrellada

Botryllus schlosseri

Clase: UROCORDADO

Esta ascidia
vive en colonias.

fig. 5

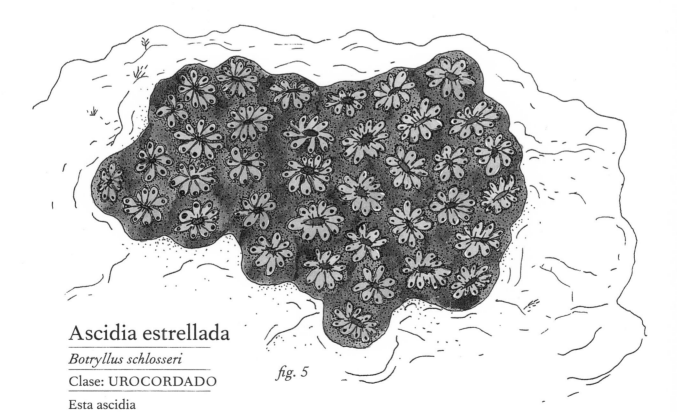

Estos animales marinos son equinodermos.
Esto significa «animal con piel de erizo».
Bajo sus numerosos brazos, tienen ventosas
que les permiten desplazarse y abrir
los moluscos bivalvos de los que
se alimentan.

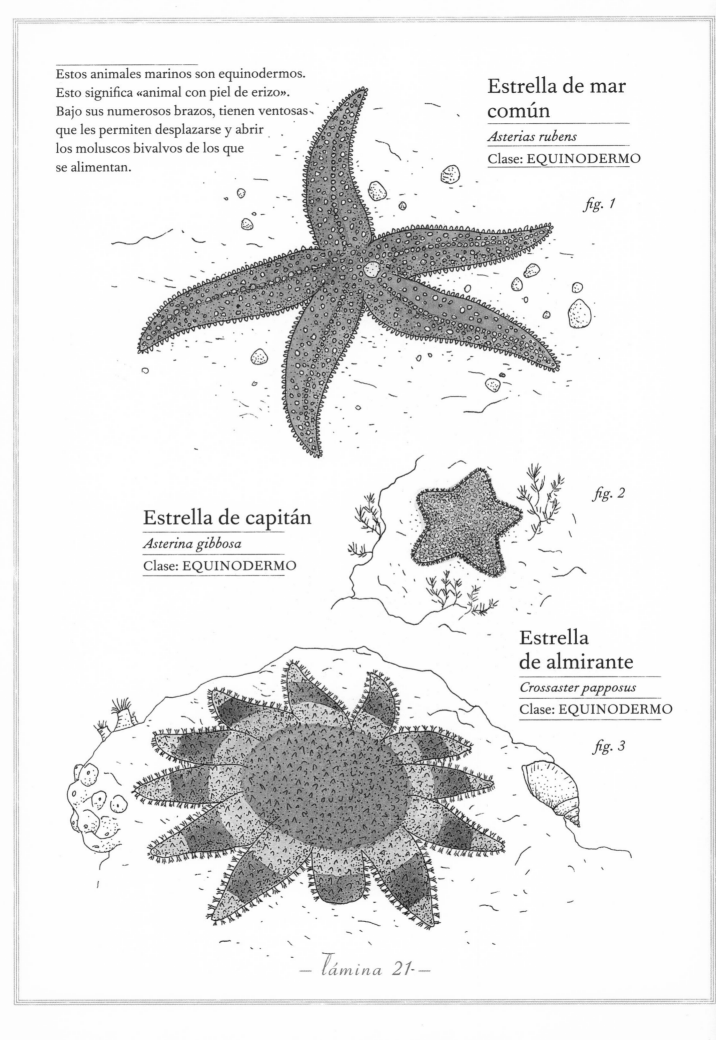

Estrella de mar común

Asterias rubens

Clase: EQUINODERMO

fig. 1

fig. 2

Estrella de capitán

Asterina gibbosa

Clase: EQUINODERMO

Estrella de almirante

Crossaster papposus

Clase: EQUINODERMO

fig. 3

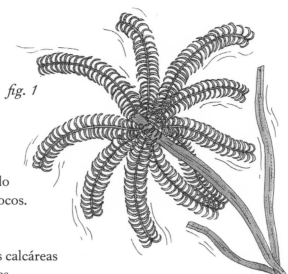

Lirio de mar
o comátula

fig. 1

Antedon sp.

Clase: EQUINODERMO

Su apariencia de planta le ha dado
un nombre que da lugar a equívocos.
El lirio de mar vive a más
de cien metros de profundidad,
su cuerpo está cubierto de placas calcáreas
y sus brazos tienen ramificaciones.

Posidonia

Posidonia oceanica

Clase: VEGETAL

La posidonia vive bajo
el agua, pero no es un alga.
Tiene raíces y hojas,
y sus flores dan frutos,
las «aceitunas de mar».

fig. 2

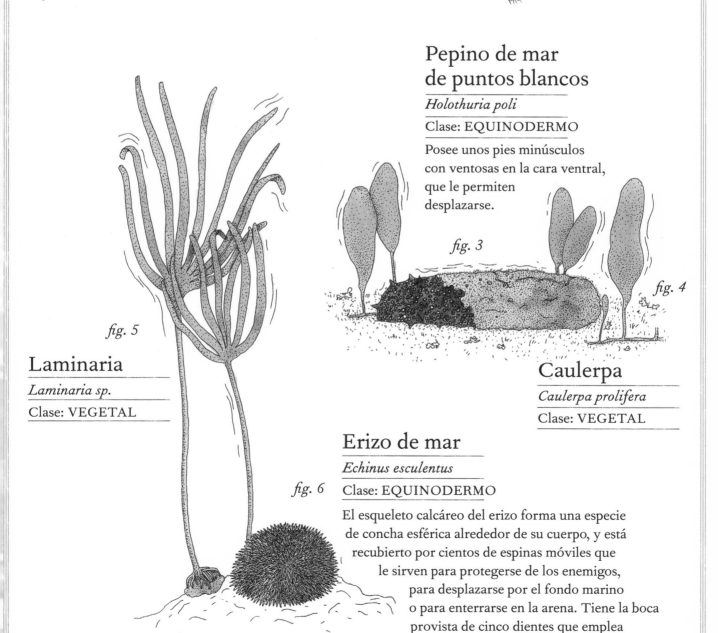

Pepino de mar
de puntos blancos

Holothuria poli

Clase: EQUINODERMO

Posee unos pies minúsculos
con ventosas en la cara ventral,
que le permiten
desplazarse.

fig. 3

fig. 4

fig. 5

Laminaria

Laminaria sp.

Clase: VEGETAL

Caulerpa

Caulerpa prolifera

Clase: VEGETAL

Erizo de mar

Echinus esculentus

fig. 6 Clase: EQUINODERMO

El esqueleto calcáreo del erizo forma una especie
de concha esférica alrededor de su cuerpo, y está
recubierto por cientos de espinas móviles que
le sirven para protegerse de los enemigos,
para desplazarse por el fondo marino
o para enterrarse en la arena. Tiene la boca
provista de cinco dientes que emplea
para comer algas.

Tiburón martillo

Sphyrna zygaena

Clase: PEZ CARTILAGINOSO

Este pez cartilaginoso tiene dos
extensiones laterales del cráneo,
que hacen que parezca un martillo,
y al extremo de las cuales
se encuentran los ojos.
Se alimenta de peces,
crustáceos y calamares.

Manta raya

Manta birostris

Clase: PEZ CARTILAGINOSO

fig. 1

Las aletas pectorales de esta raya,
soldadas a la cabeza y al tronco
en toda su longitud, están muy desarrolladas.
Su boca está situada en la cara ventral.

fig. 2

Raya torpedo

o tremielga negra

Torpedo nobiliana

Clase: PEZ CARTILAGINOSO

La raya torpedo vive en los fondos oceánicos.
Caza cubriendo los peces que quiere comer
y aturdiéndolos con una descarga de los órganos eléctricos
que tiene a ambos lados de la cabeza.
Luego se lo come. Puede producir entre setenta
y doscientos veinte voltios, una fuerza capaz de derribar
a un hombre.

— *lámina 24* —

Pez vela
del Atlántico

Istiophorus albicans

Clase: PEZ ÓSEO

Este pez azul oscuro, de dos metros de largo,
tiene una mandíbula superior muy puntiaguda,
como los peces espada. Exhibe su gran aleta dorsal
en forma de vela cuando salta fuera del agua.
Es el pez más rápido de los océanos,
ya que puede alcanzar una velocidad de 110 km/h.

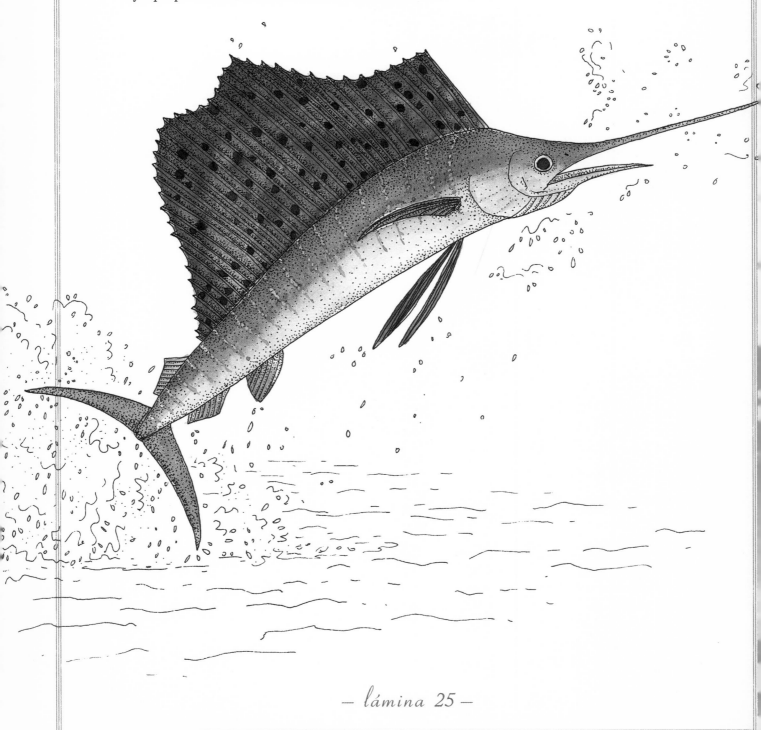

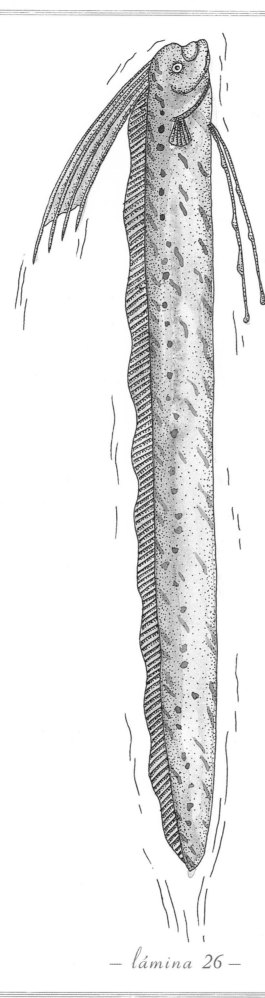

Regaleco
pez remo, pez sable
o rey de los arenques

Regalecus glesne

Clase: PEZ ÓSEO

El rey de los arenques
puede alcanzar los once metros
de longitud: es el mayor de los peces
óseos. Su aleta dorsal, de color
intenso, acaba en espinas
alargadas que forman una cresta.
Sus aletas pélvicas son muy largas.
Este pez, que con frecuencia
se mantiene en posición vertical
y que tiene una boca pequeña y sin
dientes, ha inspirado
sin duda numerosas leyendas
sobre las serpientes de mar.

Salmón del Atlántico

Salmo salar

Clase: PEZ ÓSEO

El salmón, de escamas plateadas,
es un gran viajero. Nace en las aguas dulces
de los ríos y se va al mar, donde crece
y se desarrolla. Por último, vuelve al río
donde nació, para desovar y morir.

Atún rojo del Atlántico

Thunnus thynnus

Clase: PEZ ÓSEO

Este pez puede medir hasta cuatro metros
y medio y pesar más de seiscientos cincuenta kilos.
Su carne es muy apreciada, especialmente en Japón,
donde se consume crudo. Víctima de una pesca excesiva,
es una de las especies comerciales más amenazadas.

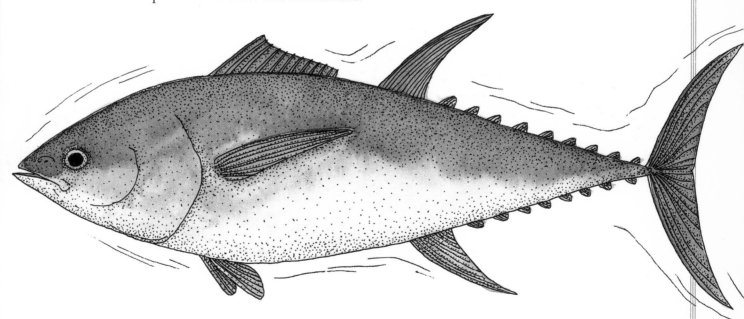

Sardinas

Sardina pilchardus

Clase: PEZ ÓSEO

Estos pequeños peces son muy buenos nadadores
y viven en bancos formados por miles de individuos,
todos de la misma edad. En el Mediterráneo los pescadores
emplean una luz para atraer a las sardinas y capturarlas.

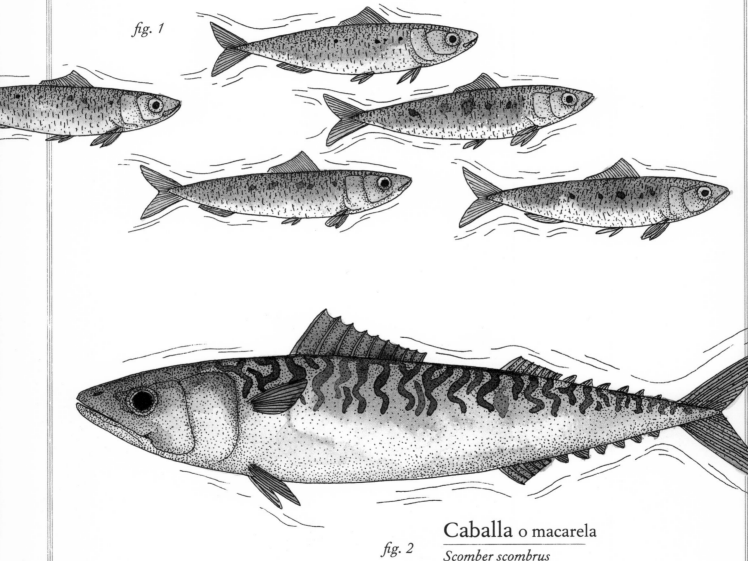

fig. 1

fig. 2

Caballa o macarela

Scomber scombrus

Clase: PEZ ÓSEO

De joven la caballa se alimenta
del plancton que filtra con las branquias.
Luego, empieza a capturar peces pequeños
en verano y otoño, y en invierno
deja de alimentarse.

Caballito de mar mediterráneo

Hippocampus guttulatus

Clase: PEZ ÓSEO

Aunque no lo parece, es un pez,
con aletas y branquias para respirar.
Su cola se enrolla y le permite agarrarse
a las algas. En esta especie, es el macho
quien se encarga de incubar los huevos,
en una bolsa situada en el vientre.

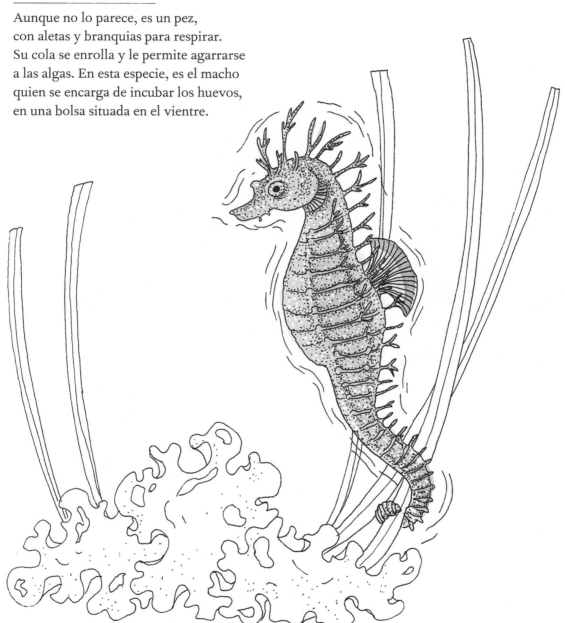

Morena punteada

Gymnothorax meleagris

Clase: PEZ ÓSEO

Este pez puede llegar a medir un metro
y veinte centímetros de largo.
Vive en los fondos rocosos, donde su color
le permite confundirse con el entorno.

Pez león

Pterois miles

Clase: PEZ ÓSEO

Este pez de los arrecifes de coral no ruge,
a pesar de su nombre. Sus anchas aletas pectorales
filamentosas le permiten arrinconar a sus presas
antes de aspirarlas con su enorme boca.
Tiene largos aguijones dorsales venenosos
para protegerse.

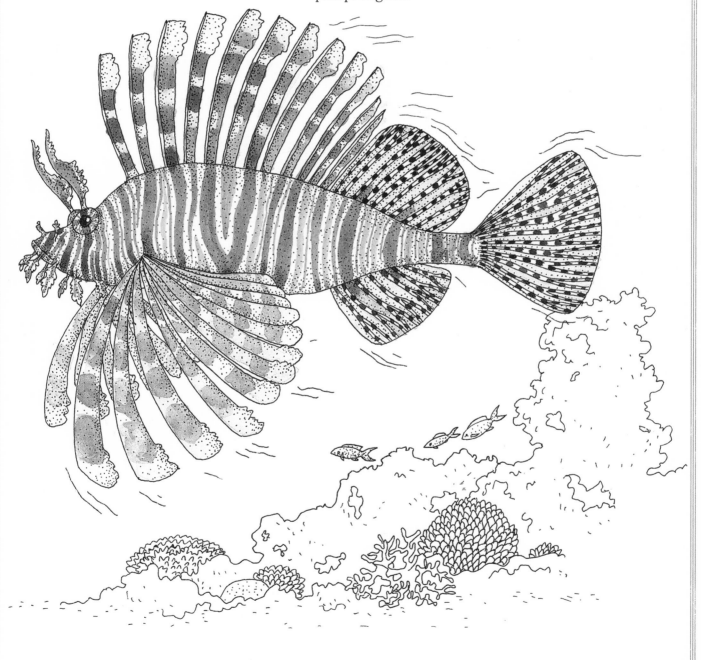

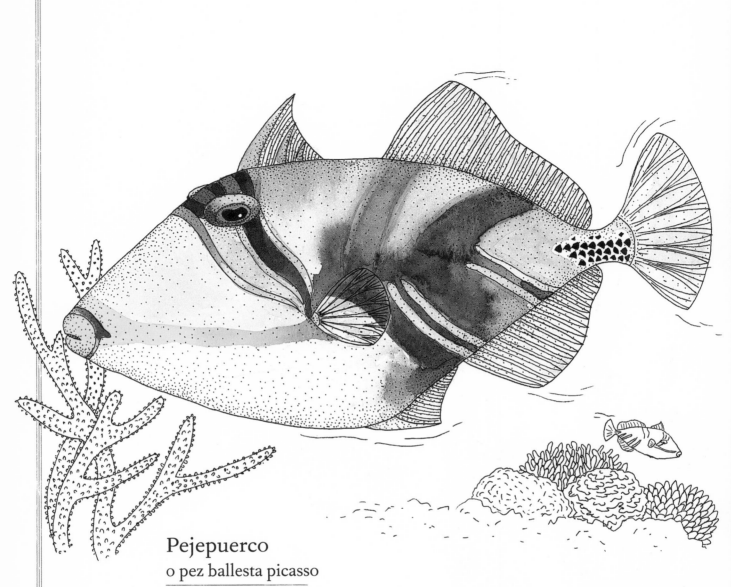

Pejepuerco
o pez ballesta picasso

Rhinecanthus aculeatus

Clase: PEZ ÓSEO

Este pez de colorido sorprendente
(que nos recuerda las pinturas de Picasso,
de donde le viene el nombre) tiene el cuerpo
comprimido y el hocico alargado.
Como todos los peces ballesta, tiene en la espalda
tres espinas largas y duras con las que puede
anclarse sólidamente a las rocas.
Cuando se le saca del agua produce
sonidos audibles.

Pez estandarte del mar Rojo

Heniochus intermedius

Clase: PEZ ÓSEO

Su aleta dorsal se prolonga como un látigo de cochero. Pertenece al grupo de los peces mariposa, pequeños peces marinos de los arrecifes de coral. Solitarios en la edad adulta, estos peces solo viven en pareja en el momento de la reproducción.

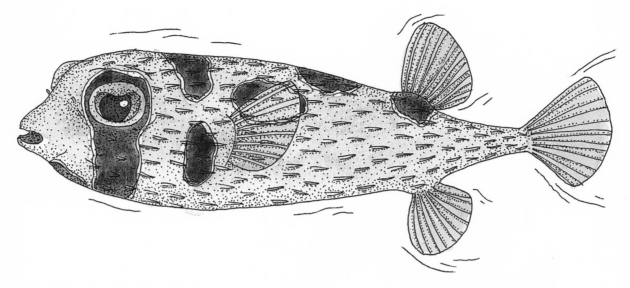

Pez erizo enmascarado

Diodon liturosus

Clase: PEZ ÓSEO

Este pez coralino triplica su volumen
cuando está inquieto. Se infla de agua
y sus pinchos se erizan por la presión.

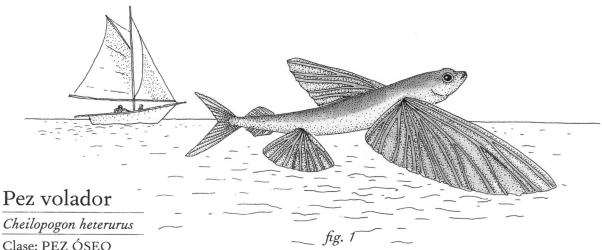

Pez volador

Cheilopogon heterurus

Clase: PEZ ÓSEO

Este pez es capaz de saltar un metro por encima
de la superficie del agua y planear
durante doscientos metros: en realidad
no vuela, sino que sus cuatro aletas pectorales,
muy desarrolladas, le permiten aprovechar
el viento.

_ fig. 1

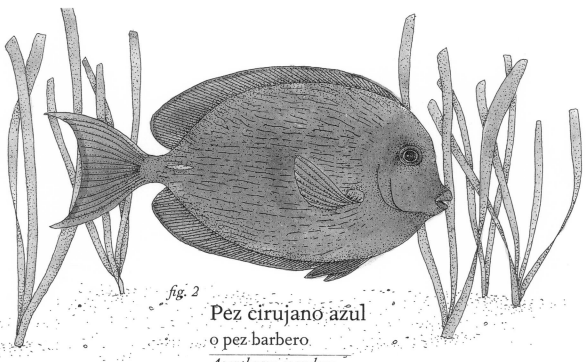

fig. 2

Pez cirujano azul

o pez barbero

Acanthurus coeruleus

Clase: PEZ ÓSEO

Cuando es joven, este pez coralino de boca fina es amarillo.
Luego se vuelve amarillo y azul. De adulto es totalmente azul
y llega a alcanzar los treinta y cinco centímetros.
Recibe su nombre por las cuchillas que tiene en la base de la cola,
que despliega cuando se siente amenazado.
Estas cuchillas son meramente defensivas y no las emplea
para atacar, pues solo se alimenta de algas.

fig. 3

Hierba
de la tortuga

Thalassia testudinum

Clase: VEGETAL

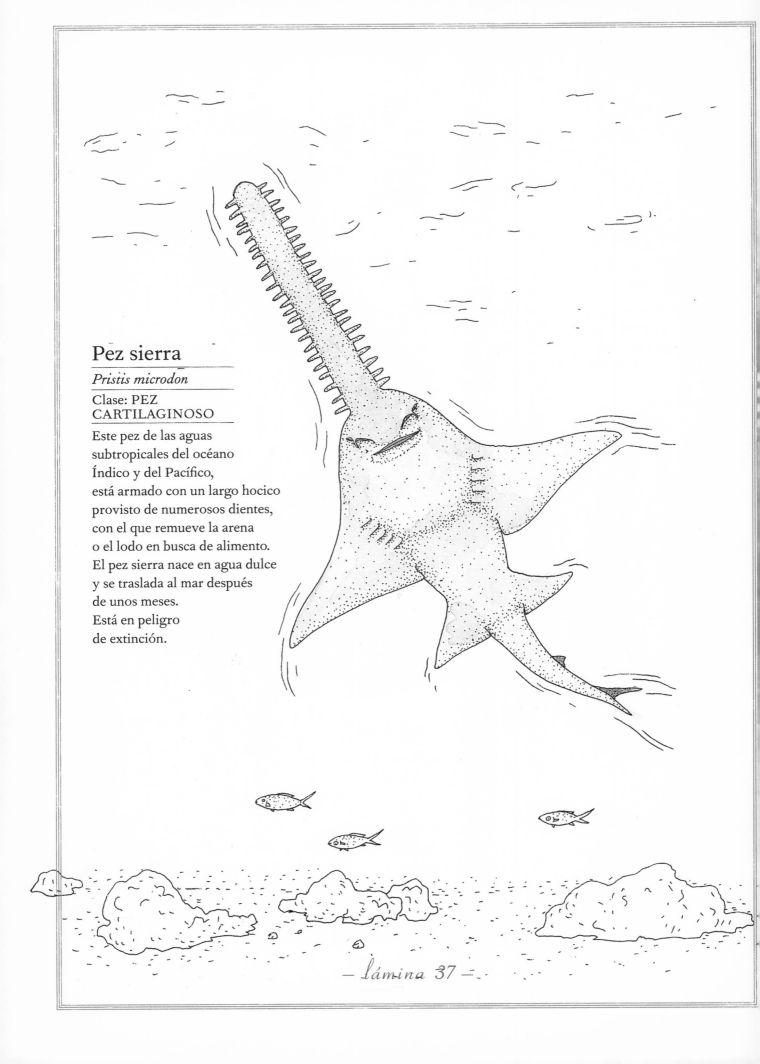

Pez sierra

Pristis microdon

Clase: PEZ
CARTILAGINOSO

Este pez de las aguas
subtropicales del océano
Índico y del Pacífico,
está armado con un largo hocico
provisto de numerosos dientes,
con el que remueve la arena
o el lodo en busca de alimento.
El pez sierra nace en agua dulce
y se traslada al mar después
de unos meses.
Está en peligro
de extinción.

— *lámina 37* —

Pez mariposa de pico largo

Forcipiger longirostris

Clase: PEZ ÓSEO

Debe su nombre a sus peculiares mandíbulas, con las que llega hasta sus presas donde otros no pueden.

fig. 1

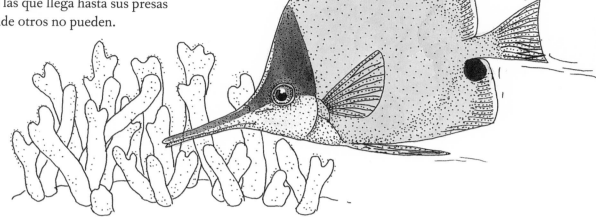

Pez ángel reina

Holacanthus ciliaris

Clase: PEZ ÓSEO

Este pez de las Antillas, con su vestido amarillo y azul, tiene una aleta dorsal y otra anal que se extienden formando largas puntas. Como todos los peces ángel, tiene una espina en cada lado de la cabeza.

fig. 2

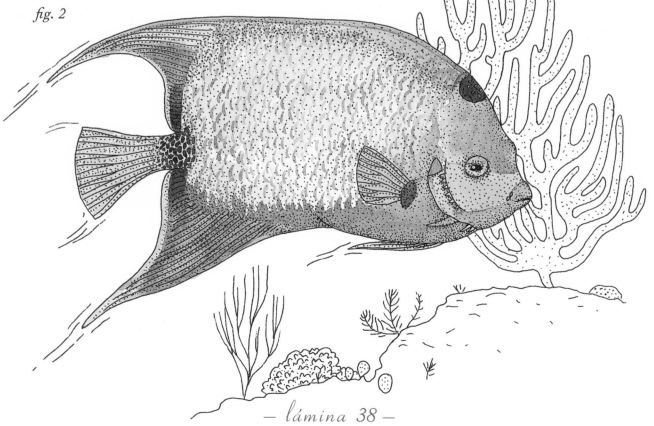

— *lámina 38* —

Pez víbora

Chauliodus sp.

Clase: PEZ ÓSEO

Este pez abisal tiene una impresionante
mandíbula con dientes tan largos
que le impiden cerrar la boca.
En el vientre, tiene dos filas paralelas
de órganos luminiscentes,
que le sirven de reclamo
para la reproducción.

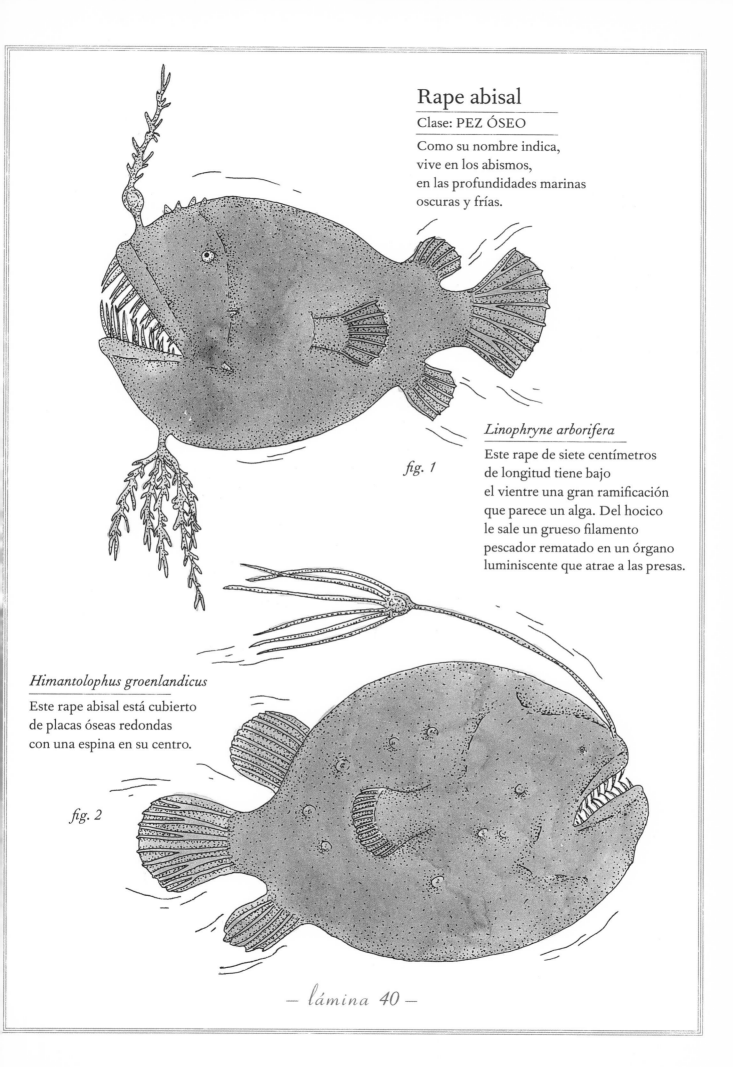

Rape abisal

Clase: PEZ ÓSEO

Como su nombre indica,
vive en los abismos,
en las profundidades marinas
oscuras y frías.

Linophryne arborifera

Este rape de siete centímetros
de longitud tiene bajo
el vientre una gran ramificación
que parece un alga. Del hocico
le sale un grueso filamento
pescador rematado en un órgano
luminiscente que atrae a las presas.

fig. 1

Himantolophus groenlandicus

Este rape abisal está cubierto
de placas óseas redondas
con una espina en su centro.

fig. 2

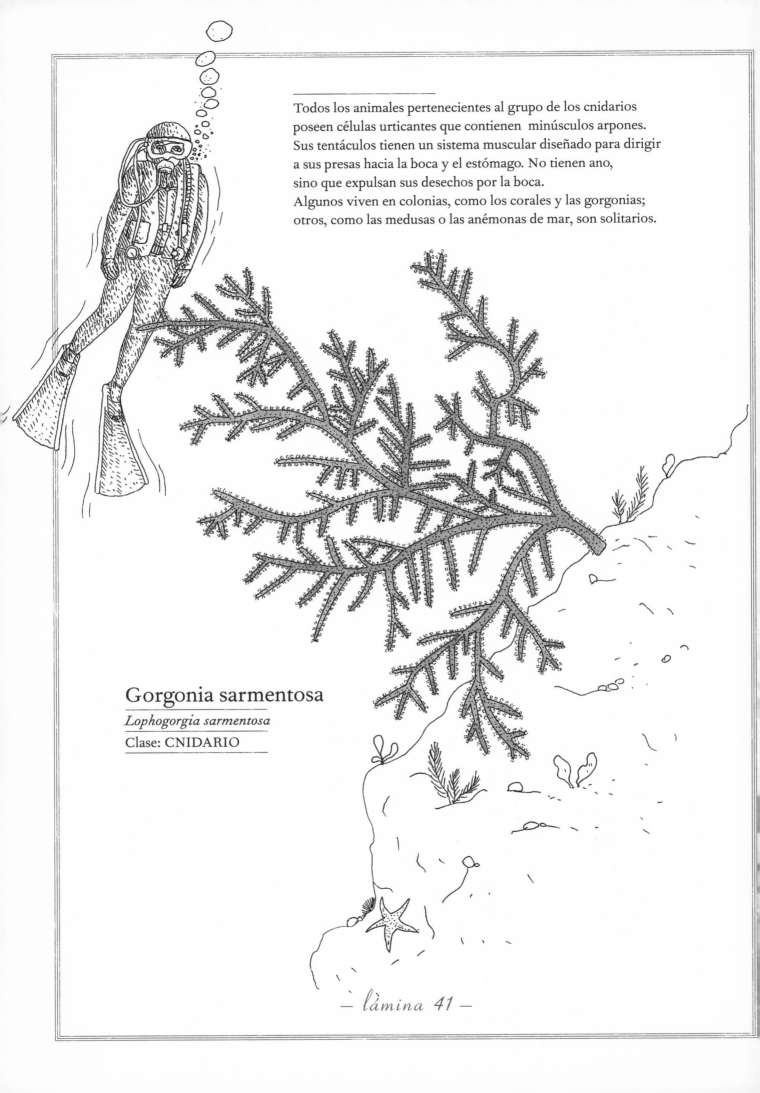

Todos los animales pertenecientes al grupo de los cnidarios
poseen células urticantes que contienen minúsculos arpones.
Sus tentáculos tienen un sistema muscular diseñado para dirigir
a sus presas hacia la boca y el estómago. No tienen ano,
sino que expulsan sus desechos por la boca.
Algunos viven en colonias, como los corales y las gorgonias;
otros, como las medusas o las anémonas de mar, son solitarios.

Gorgonia sarmentosa

Lophogorgia sarmentosa

Clase: CNIDARIO

— làmina 41 —

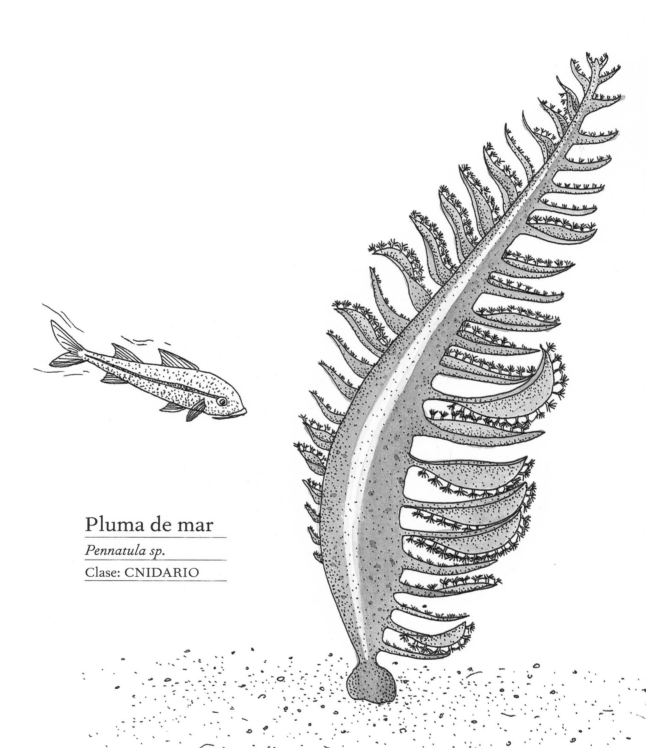

Pluma de mar

Pennatula sp.
Clase: CNIDARIO

Coral cerebro
o coral laberinto

Diploria labyrinthiformis

Clase: CNIDARIO

El coral es un cnidario que produce
su propio esqueleto calcáreo.
Mantiene una relación simbiótica
con las algas microscópicas
que contienen sus tejidos.

Pez payaso

Amphiprion ocellaris

Clase: PEZ ÓSEO

El cuerpo del pez payaso está cubierto por una sustancia viscosa
que le protege del veneno de las anémonas. Vive en simbiosis
con ellas: la anémona protege al payaso de sus predadores
y se alimenta con los restos de su comida.

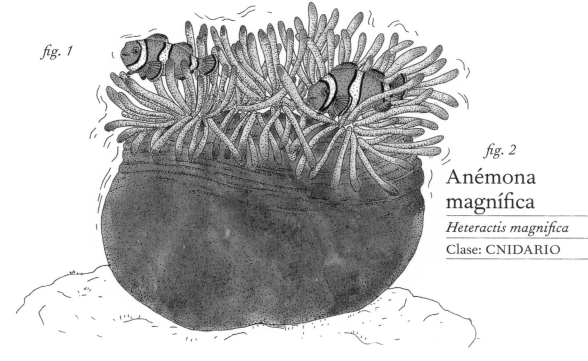

fig. 1

fig. 2

Anémona magnífica

Heteractis magnifica

Clase: CNIDARIO

fig. 3

Acalefo luminiscente

Pelagia noctiluca

Clase: CNIDARIO

Esta especie luminiscente posee
células urticantes, no solo en sus tentáculos,
sino también en su umbrela.
Con ellas paraliza a sus presas
antes de comérselas.
Su cuerpo está compuesto por un noventa
y siete por ciento de agua y
un tres por ciento de materia sólida.

Iguana marina

Amblyrhynchus cristatus

Clase: REPTIL

Este reptil de las islas Galápagos es el único
lagarto actual que tiene como hábitat principal el mar.
Utiliza la cola para nadar y sumergirse en busca de algas,
de las que se alimenta. Una vez en tierra,
sus glándulas nasales filtran la sal ingerida
y la expulsan por la nariz con los mocos.

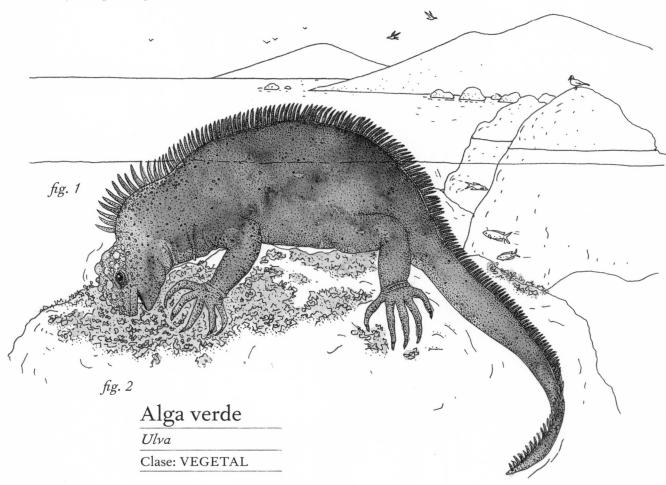

fig. 1

fig. 2

Alga verde

Ulva

Clase: VEGETAL

Cocodrilo marino

Crocodylus porosus

Clase: REPTIL

Este cocodrilo es un gigante
muy peligroso de seis metros de largo.
Vive en los estuarios y manglares
indios y australianos. Puede nadar
largas distancias y vuelve a tierra
para hacer la puesta en un nido
que vigila muy de cerca. Su piel
es muy apreciada por el hombre.

Tortuga verde

Chelonia mydas

Clase: REPTIL

La tortuga de mar posee un caparazón óseo
de escamas más ligeras que las de la tortuga de tierra.
Las patas anteriores, en forma de remo, le sirven
para nadar. A diferencia de la tortuga de tierra,
su cabeza y sus patas no son retráctiles
Esta tortuga tiene la piel verde y es la única
tortuga marina herbívora en la edad adulta.
Esta especie invade las playas para reproducirse
y, cosa rara entre las tortugas marinas,
para calentarse al sol.

Sérpula roja

Serpula vermicularis

Clase: GUSANO

Este gusano vive en un tubo calcáreo.
Durante la marea alta,
saca sus tentáculos rojos;
en la marea baja, cierra el tubo
con uno de los tentáculos,
que tiene forma de trompeta
con el borde almenado.

fig. 1

Arenícola marina

Arenicola marina

Clase: GUSANO

Este gusano rojo de entre diez y veinticinco centímetros,
cava un túnel en forma de U en la arena o en el fango.
Expulsa sus excrementos, que se pueden ver en la superficie
en forma de gruesos hilos de arena.
Hay entre cien y ciento cincuenta individuos
por metro cuadrado de playa. El arenícola ingiere
grandes cantidades de arena para retener solamente
algunas partículas y los minúsculos animales
que se encuentran en ella.

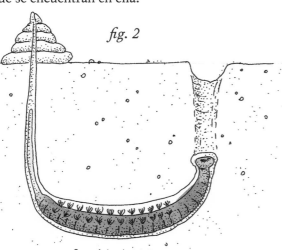

fig. 2

Nereida común

Hediste diversicolor

Clase: GUSANO

Vive enterrada en la arena y
sale para cazar: proyecta
entonces su trompa provista
de dos ganchos para atrapar
a su presa.

fig. 3

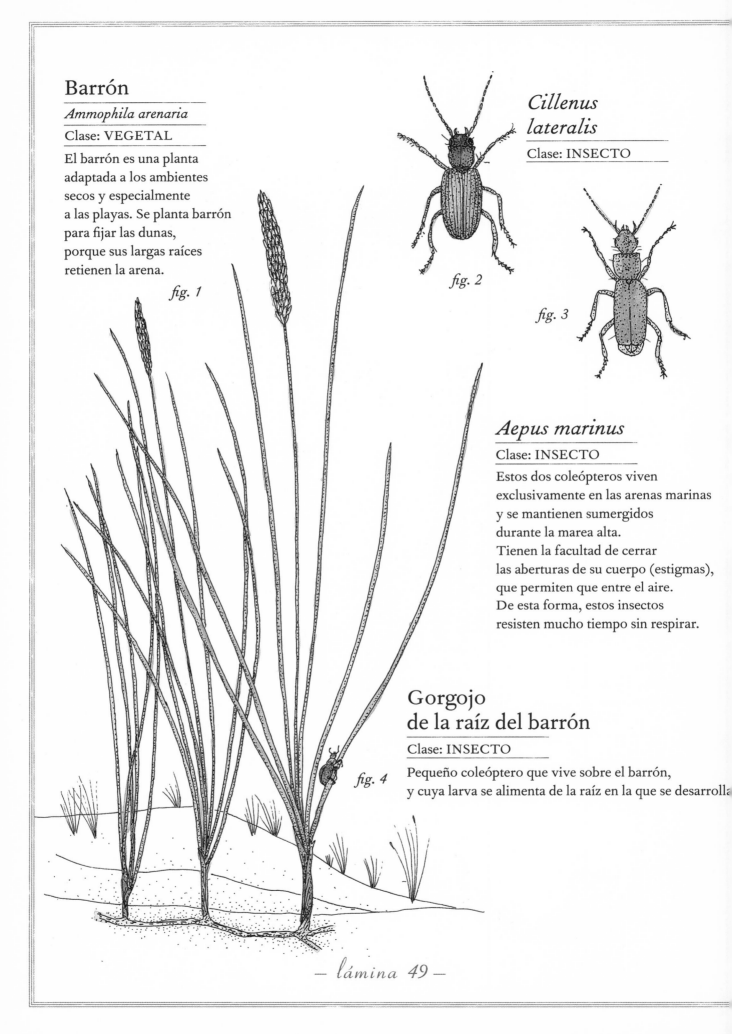

Barrón

Ammophila arenaria

Clase: VEGETAL

El barrón es una planta
adaptada a los ambientes
secos y especialmente
a las playas. Se planta barrón
para fijar las dunas,
porque sus largas raíces
retienen la arena.

fig. 1

Cillenus lateralis

Clase: INSECTO

fig. 2

fig. 3

Aepus marinus

Clase: INSECTO

Estos dos coleópteros viven
exclusivamente en las arenas marinas
y se mantienen sumergidos
durante la marea alta.
Tienen la facultad de cerrar
las aberturas de su cuerpo (estigmas),
que permiten que entre el aire.
De esta forma, estos insectos
resisten mucho tiempo sin respirar.

Gorgojo de la raíz del barrón

Clase: INSECTO

Pequeño coleóptero que vive sobre el barrón,
y cuya larva se alimenta de la raíz en la que se desarrolla

fig. 4

Esfinge de la lechetrezna

Hyles euphorbiae

Clase: INSECTO

fig. 5

Como su nombre indica, esta mariposa pone sus huevos sobre una planta, la lechetrezna.

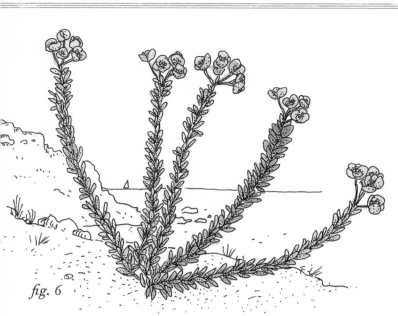

fig. 6

Lechetrezna de las dunas

Euphorbia paralias

Clase: VEGETAL

Esta euforbia está presente en las arenas del litoral. Florece de mayo a septiembre.

fig. 7

Andrena vaga

Andrena vaga

Clase: INSECTO

La andrena es una abeja solitaria que cava su nido en terreno arenoso.

fig. 8

Amófila de la arena

Ammophila sabulosa

Clase: INSECTO

Esta avispa se alimenta del néctar de las flores, pero su larva es carnívora.
Para alimentar a sus crías, la avispa caza orugas, las paraliza con su veneno y pone un huevo sobre cada una de ellas. Cuando las larvas nacen, se alimentan de la orugas.

Lavanda de mar
o acelga salada

Limonium vulgare

Clase: VEGETAL

Esta planta coloniza las arenas de las costas del Atlántico y del Mediterráneo.

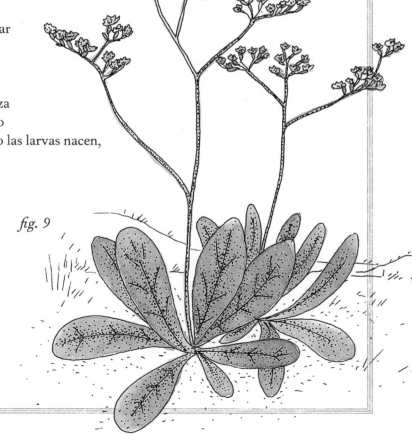

fig. 9

Frailecillo

Fratercula arctica

Clase: AVE

Esta ave vive en alta mar. Es capaz de sumergirse
hasta quince metros para capturar peces que come
en el momento o que lleva para alimentar a sus pollos.
Sus patas palmeadas le sirven para desplazarse
bajo el agua. En primavera vuelve a la costa
y anida en praderas herbosas. En la época de celo,
su pico y sus patas adquieren un color más intenso.

Albatros real

Diomedea epomophora

Clase: AVE

Con sus tres metros de envergadura,
es la mayor ave marina del mundo.
Hay trece especies de albatros y
todas ellas viven en los mares del Sur.
Es un ave fiel, que se une con la misma hembra
una vez al año para la reproducción.

Pingüino emperador

Aptenodytes forsteri

Clase: AVE

Es buen buceador y nadador gracias a que sus alas
se han transformado en aletas. El pingüino emperador
puede descender a más de cuatrocientos metros de profundidad.
Pero esta ave, que se mantiene erguida sobre los hielos
del Polo Sur, no sabe volar.

Alca común

Alca torda

Clase: AVE

Las alcas comunes son aves con la cabeza blanca
en invierno y negra el resto del año, que viven en
las costas rocosas del Atlántico Norte.
Sus alas cortas y redondeadas les permiten
un vuelo rápido, pero no pueden planear.
En el agua, las alas les sirven también
como aletas.

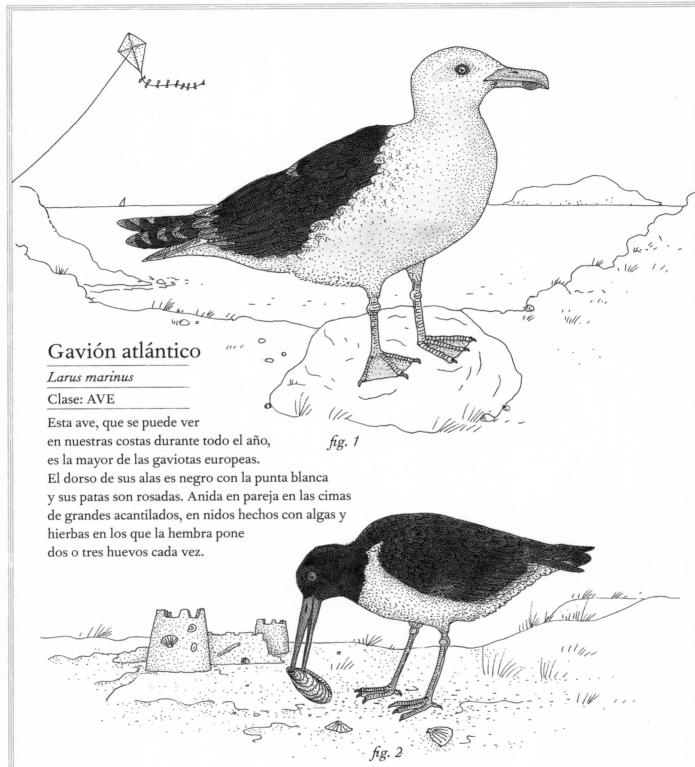

Gavión atlántico

Larus marinus

Clase: AVE

Esta ave, que se puede ver
en nuestras costas durante todo el año,
es la mayor de las gaviotas europeas.
El dorso de sus alas es negro con la punta blanca
y sus patas son rosadas. Anida en pareja en las cimas
de grandes acantilados, en nidos hechos con algas y
hierbas en los que la hembra pone
dos o tres huevos cada vez.

fig. 1

fig. 2

Ostrero

Haematopus ostralegus

Clase: AVE

El ostrero es especialmente hábil para abrir las conchas
golpeándolas e introduciendo el pico en su interior
para seccionar el músculo que las mantiene cerradas.
Cuando baja la marea come cangrejos, coquinas,
gambas… Para eso tiene el pico tan largo.

Alcatraz común

Morus bassanus

Clase: AVE

Esta ave marina, la mayor
de Europa, puede alcanzar
el metro ochenta de envergadura.
Se alimenta de peces
y de calamares. Para ello
planea muy alto por el cielo
y se lanza a gran velocidad
(de 60 a 80 km/h) para
sumergirse hasta diez metros
de profundidad. Su cráneo
está reforzado y tiene bolsas
de aire en el pecho, que
amortiguan el choque de contacto
con el agua cuando se sumerge.

— *lámina* 55 —

ÍNDICE

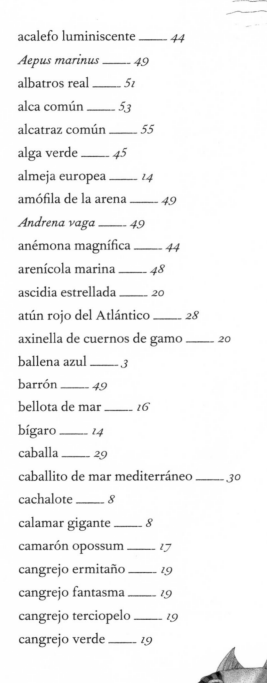

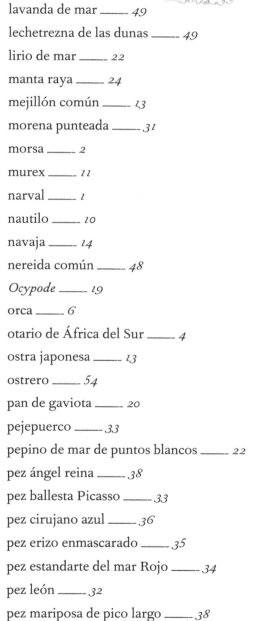